W9-BWA-851

Caillou[MD]

Je n'ai pas faim !

Texte : Nicole Nadeau, pédopsychiatre
Illustrations : Pierre Brignaud • Coloration : Marcel Depratto

chouette

Maman appelle Caillou :

–C'est l'heure de manger !

Mais Caillou est très occupé à jouer dehors.

–Je n'ai pas faim, répond Caillou.

Toute la famille est assise autour de la table.

–C'est délicieux! dit papa.

Papa raffole de la soupe aux légumes.

–Moi, je n'aime pas la soupe. Je veux des biscuits au chocolat, grogne Caillou.
–Caillou, les biscuits c'est pour le dessert, dit maman.
Caillou pleure et veut descendre de sa chaise.

Caillou trouve que la nourriture n'a pas bon goût. Et que papa et maman ne sont pas gentils. Ils veulent toujours manger quand c'est l'heure de jouer. Et puis, on ne peut jamais commencer le repas par les biscuits au chocolat.

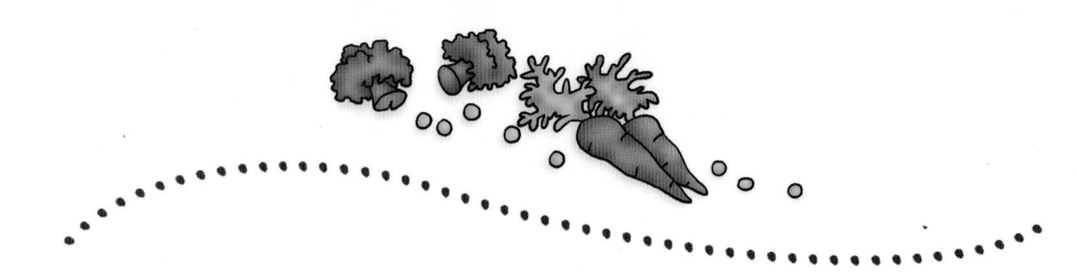

Caillou est fatigué. Il a beaucoup pleuré.
Maman aussi est fatiguée. Le téléphone sonne. C'est grand-papa qui invite Caillou.
Caillou sèche ses larmes.
Dans l'après-midi, grand-papa emmène Caillou au parc.

Caillou voit un écureuil qui grignote une noix.
Grand-papa lui montre une maman oiseau.
La maman nourrit ses petits.
Au retour, le repas est prêt.
–J'ai une faim de loup ! dit grand-papa.
Caillou imite la grosse voix de grand-papa :
–Moi aussi, je suis un loup !

Du poulet rôti, des carottes, de la tarte aux pommes et un grand verre de lait. Caillou a bien mangé.

–Bravo, mon petit loup ! s'exclame grand-maman.

Caillou passe la nuit chez ses grands-parents. Le lendemain, Caillou rentre à la maison.

–On a joué au loup, dit Caillou à maman.

–Et Caillou a mangé comme un vrai petit loup, ajoute grand-maman.

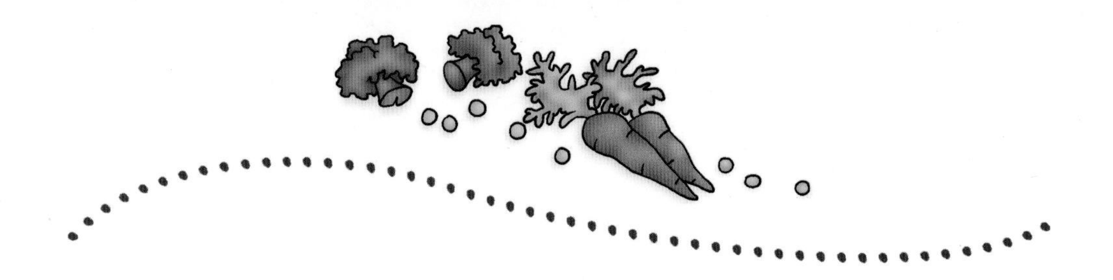

Maman regarde Caillou en souriant.
–Caillou, tu sais ce que nous mangeons à midi : du jambon et du brocoli. Et pour le dessert... une surprise ! annonce maman.

–Papa... L'histoire du loup, réclame Caillou, assis à table.
Papa raconte :
–Un loup se promène dans la forêt. Il trouve du jambon et des brocolis et les dévore à belles dents. Le loup veut être grand et fort.

Caillou montre à papa son gros ventre plein. Et aussi ses belles dents pointues. Caillou déclare :
–Maintenant, c'est l'heure de la surprise... des biscuits au chocolat !

Texte : Nicole Nadeau
Illustrations : Pierre Brignaud
Coloration : Marcel Depratto
Direction artistique : Monique Dupras

Nous reconnaissons l'aide financière du gouvernement du Canada par l'entremise du Fonds du livre du Canada pour nos activités d'édition.

Patrimoine canadien Canadian Heritage

Nous remercions le ministère de la Culture et des Communications du Québec et la SODEC de l'aide apportée à la publication et à la promotion de cet ouvrage.

SODEC Québec

Catalogage avant publication de Bibliothèque et Archives nationales du Québec et Bibliothèque et Archives Canada

Nadeau, Nicole, 1956-
Caillou : je n'ai pas faim !
Nouv. éd.
(Pas à pas)
Publ. antérieurement sous le titre : Le dessert. 1996.
Pour enfants de 2 ans et plus.

ISBN 978-2-89450-828-2

1. Appétit - Ouvrages pour la jeunesse. 2. Repas - Ouvrages pour la jeunesse.
I. Brignaud, Pierre. II. Titre. III. Titre : Je n'ai pas faim !. IV. Titre : Le dessert.
V. Collection : Pas à pas (Éditions Chouette).

HQ784.E3N32 2011 j649'.3 C2011-940223-8

Imprimé à Guangdong, Chine
10 9 8 7 6 5 4 3 2 1 CHO1782 AVR2011